LIVRE DE DÉPÔT

© 2013 Mijade (Namur)
pour l'édition française

© 2000 Valeri Gorbachev
pour le texte et les illustrations

NordSud

Titre original :
Nicky and the fantastic Birthday Gift
© 1999 NordSüd Verlag (Zurich)

Traduction de Michelle Nikly

ISBN 978-2-87142-839-8
D/2013/3712/22

Imprimé en Belgique

07589 5844

Valeri Gorbachev

Matty

et le cadeau fantastique

Mijade

Aujourd'hui,
c'est l'anniversaire de Maman Lapin.
Martin, Margot, Many et Mathurin
s'appliquent à faire de beaux dessins.
Seul Matty est dehors,
en train de s'amuser.

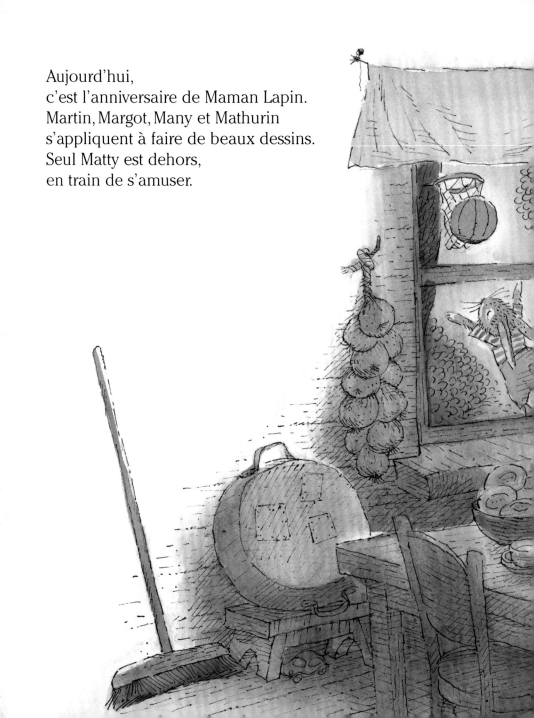

– Dis, Matty, tu ne prépares pas
un cadeau pour Maman ? crie Mathurin.
– Si, bien sûr, dit Matty. Mais je voudrais trouver
quelque chose de vraiment… fantastique.

– Pourquoi est-ce que tu ne dessines pas
une carotte, comme moi ? demande Margot.
Ou bien un arbre, comme Martin ?
Ou une fleur, comme Many ?
Ou un soleil, comme Mathurin ?

– Non, dit Matty.
Moi, je veux dessiner quelque chose d'autre.
Quelque chose de vraiment… formidable.

– D'accord, soupire Many,
mais tu ferais bien de t'y mettre.
Ça va bientôt être l'heure
de donner les cadeaux.

En effet, Maman ne tarde pas à les rejoindre.
– Joyeux anniversaire ! s'écrient en chœur
Martin, Margot, Many et Mathurin.
Regarde ce qu'on a fait, c'est pour toi !
– Oh, merci mes chéris, dit Maman.
On va pouvoir organiser une véritable exposition de peintures !

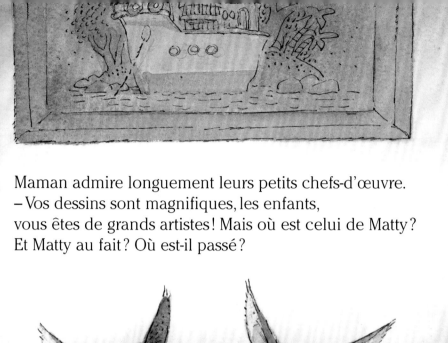

Maman admire longuement leurs petits chefs-d'œuvre.
– Vos dessins sont magnifiques, les enfants,
vous êtes de grands artistes! Mais où est celui de Matty?
Et Matty au fait? Où est-il passé?

– Je suis là, crie Matty de la cuisine, je n'avais pas fini !
Mon dessin est tellement… extraordinaire
que ça m'a pris très longtemps pour le faire.
– C'est… très intéressant, dit Maman,
en regardant par-dessus l'épaule de Matty.
Et… qu'est-ce que ça représente au juste ?

– Alors, là c'est notre maison,
commence Matty, avec la forêt,
et puis la mer. Et ça, c'est nous !
On s'en va vers la plage,
et on s'amuse comme des fous.
– Ah bon… dit Maman.

– Ce n'est pas tout, poursuit Matty.
Regarde, là, on est sur un gros
bateau vert qui navigue sur l'océan.
Et tout autour, il y a des mouettes
qui volent et des dauphins
qui sautent dans l'eau !
On s'amuse vraiment bien.
– Oui… je vois, murmure Maman.

BON ANNIVERSAIRE MAMAN!

– Attends la suite! dit Matty.
Maintenant, on arrive sur une île,
très loin d'ici, et les habitants
nous accueillent avec des bouquets
de fleurs. Il y a un orchestre
qui joue rien que pour nous.
Tu vois, c'est fou ce qu'on s'amuse!
– Oui, oui, je vois tout à fait!
dit Maman.

– Et là, c'est le plus beau de tout !
reprend Matty. On fait une grande fête.
On chante, on danse !
Il y a plein de lampions partout,
des ballons, des chapeaux et puis…

… un gigantesque gâteau,
le plus beau gâteau
qu'on ait jamais vu !
Et on s'amuse comme des fous
parce que… c'est ton anniversaire,
Maman.

Matty lui tend son dessin.
– Voilà, Maman. Bon anniversaire!

Maman place le dessin de Matty
au milieu des autres.
– Ton dessin est vraiment merveilleux,
Matty. Merci beaucoup!

– Et maintenant,
il est l'heure de manger le gâteau, dit Maman.
Ensuite on va chanter et danser,
et on va tous s'amuser comme des fous!

Quelle journée vraiment… fantastique!